Ad Alice, Merr e Mac

Gli effetti del Buon Governo in città e in campagna è un celebre affresco
dipinto verso la metà del Trecento da Ambrogio Lorenzetti. Sulla strada
che porta al mercato è raffigurato un maialino. Ha il manto nero attraversato
da una fascia bianca e appartiene alla razza chiamata Cinta Senese,
che prende il suo nome dalla parola "cintura".

Tanto tempo fa, i maialini di Cinta Senese erano molto comuni in Toscana.
Poi sono diventati sempre più rari, ma oggi vengono di nuovo allevati
nelle campagne del Chianti: non è difficile vederli mentre pascolano,
in piccoli gruppi, sul fianco di una collina o vanno nei boschi in cerca di cibo.

Il gigantesco affresco si dispiega ancora, occupando un'intera parete,
nella Sala della Pace di Palazzo Pubblico in cui l'artista lo dipinse
oltre 650 anni fa. In questo libro potrete ammirare le deliziose scene
di vita toscana di Lorenzetti… dal punto di vista del nostro maialino.

Sono profondamente grata a Louise Ames, Cesare Chini, Malcolm Howard,
Helen e Peter Neumeyer, Alice Proctor, Jenna e Merr Shearn, Tyra Segers
e, soprattutto, Richard Mello. L'aiuto che mi hanno dato nella creazione
di questo libro è stato prezioso, così come il senso dell'umorismo
e il sostegno di Mario Curia e dello staff di Mandragora, la casa editrice
fiorentina che ha guidato Cinta e me in questo viaggio. [N.S.H.]

Mandragora s.r.l.
piazza del Duomo 9, 50122 Firenze
www.mandragora.it

Redazione, progetto grafico e impaginazione
Monica Fintoni, Andrea Paoletti, Paola Vannucchi

Traduzione italiana
Monica Fintoni

Fotografie
Studio Lensini, Siena

Stampato in Italia presso Alpilito, Firenze

ISBN 978-88-7461-093-8

Nancy Shroyer Howard

Scandalo in Toscana

LE SCORRIBANDE DI UN PORCELLO
IN UN CELEBRE AFFRESCO SENESE

Mandragora

Mi presento: sono il protagonista
di questa storia. Sono uno dei
personaggi di un affresco senese,
un affresco bellissimo e famosissimo.

Mi vedi? Sono qui,
in questa parte del dipinto!

Sono un maialino di Cinta Senese,
un maialino di Siena. Puoi chiamarmi
Cinta. Il mio nome viene dalla parola
"cintura"… e della mia cintura
sono molto orgoglioso!

Questo celebre affresco ha quasi 700
anni, ma io sono ancora un ragazzino.
E lo vedrai, in questa favola
che parla di me, Cinta.

Quella mattina, su una collina lontana lontana,
per Cinta la giornata era cominciata tutt'altro che male.
Era riuscito a riempire la sua magnifica pancia nera
di quattordici mele ammaccate, ventisei fichi molli,
dieci patate coi germogli e i chicchi dolcissimi di due
melagrane. La bella fascia bianca che aveva intorno
al pancino era tirata come una cintura troppo stretta.
Cinta dimenò il codino nero soddisfatto.

Cinta stava pensando seriamente a un pisolino
quando sentì dei passi.

"Oggi si va in città, Cinta!"
annunciò il suo padrone.
"Sei pronto giusto giusto per il mercato."

"Che meraviglia!"
pensò Cinta.
"Non l'ho mai vista,
una città."

Cinta si incamminò trotterellando, e non ci fu neppure
bisogno che il suo padrone lo incitasse col frustino:
c'era così tanto da vedere! Attraversarono i vigneti
di un grande castello. I grappoli d'uva erano belli maturi,
gonfi di succo. Cinta provò il desiderio irresistibile
di piluccarne un po'. Si fermò, si buttò pancia all'aria
e fece finta di essere un convitato a un banchetto.

Il padrone agitò
il frustino sulla pancia
di Cinta e brontolò:
"Comportati come si deve!"
Prese Cinta per una zampa
e lo attaccò a una catena.

Cammina cammina, Cinta e il suo padrone giunsero
in un campo tutto dorato. Alcuni contadini erano curvi
a mietere il grano, altri battevano le spighe raccolte.
I chicchi di grano volavano da tutte le parti. Cinta si chinò
per assaggiarne un pochino, solo un pochino, ma ecco
che sul posteriore sentì fischiare il frustino del padrone.
Cinta uggiolò e i due ripresero il loro cammino.

"Vorrei tanto
sdraiarmi
contro un pagliaio"
pensò Cinta
"e prendere in giro
i polli."

Cinta era sfinito. Aveva passato
tutta la vita nel suo bel porcile, senza mai
girovagare per il vasto mondo.

Quando furono sulla strada
incontrarono un contadino che andava al mulino
col suo mulo.

Cinta, per divertirsi un po', fece finta di essere un fantino.
Saltò per aria e agitò le zampe.

Già si vedeva correre
al galoppo lungo la strada.
"Questo sì che è il modo
giusto per andare in città!"
pensò. Ma il suo padrone
non si divertì neanche un po'.
Gli dette uno spintone
giù per la strada. Cinta vide
un gregge di pecore, un oliveto
e una vigna sul fianco della collina.

Il padrone lo trascinò giù per la collina,
verso il mulino. Cinta guardò le acque
del fiume: gli parvero un po' fangose,
a dire il vero, ma tanto fresche…

Cinta ebbe una grande idea.
"Ecco cosa voglio davvero:
voglio arrivare in città
a nuoto!"

Si sdraiò e fece finta di galleggiare sull'acqua del fiume.
Il padrone dette uno strattone alla catena. Cinta si tirò su
di corsa e lo seguì ansimando lungo la riva del fiume.

Passarono vicino a due buoi che aravano un campo.
"Sempre meglio andare in città che lavorare" sbuffò Cinta.

Ben presto, con gran meraviglia di Cinta, dal ponte
giunsero un ragliare di muli, uno scalpitio di zoccoli,
le grida dei mercanti. Cinta era sbalordito.
"Mi pare decisamente interessante" concluse.

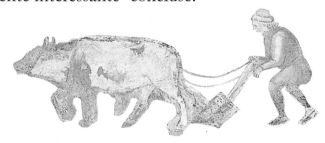

Cinta e il suo padrone si incamminarono
per la lunga salita che portava alla città.
Un cane da caccia abbassò il capo e ringhiò.
Cinta sbuffò sollevando una nuvola
di polvere e grugnì: "Molto meglio andare
in città che venire a caccia con te!"
Ma non sapeva che stava per prendersi
un bello spavento.

"Mamma mia, che succede?"
Cinta fece un balzo giusto in tempo
per scansare i cavalli di due cacciatori,
che non lo calpestarono per un pelo.
Alzò il muso, stizzito, per protestare.

Fu allora che Cinta ebbe
la più grande sorpresa
della sua vita.

La città!

Con le sue alte
mura di mattoni!
E una torre altissima!
E le porte della città!

"Yuhuuuuuuuuuuuuuuuuuuuù!" Cinta fece uno strillo esagerato.

Il falcone di un cacciatore si levò
in volo e fuggì. Un cavaliere si voltò
e si mise sul chi va là. Una suora pensò
che fosse arrivata la fine del mondo,
si mise a pregare e si segnò.

Le porte della città erano aperte.
    Cinta fece un balzo di gioia.
        Con uno strattone si liberò della catena
                    e fuggì a briglia sciolta.

                "Dev'essere stupendo,
                là dentro!" strillò ancora,
                con tutto il fiato
                che aveva in gola.

Correndo a precipizio, Cinta andò a sbattere
in un tessitore. Tutta la pezza si srotolò.
Ma Cinta non si fermò.

Urtò contro un mulo carico
di legna, e la legna si sparpagliò.
Andò per terra un corbello di uova
e tutto si spiaccicò.

Come una freccia, Cinta passò
a un pelo da un pastore. In preda
allo scompiglio, il gregge fuggì.

"Come inizio non c'è male!"
mormorò Cinta tra sé e sé.

Cinta entrò a rompicollo
nella bottega
di un ciabattino.
Scarpe e stivali
si sparsero di qua e di là.
Entusiasta, Cinta grugnì.
Si provò un paio
di stivali rossi e trovò
che gli stavano molto bene.

Cinta si lanciò
in una salumeria, vide
una forma di cacio
dalla crosta rossa e la rubò.
Della salsiccia, chissà
perché, non si curò.
Sentì il suo padrone
che lo chiamava
a squarciagola. "Chi se
ne importa" pensò.
"La città è fortissima!" strillò.

Cinta incontrò delle fanciulle che danzavano sulla via.
Vide il loro tamburello e lo agguantò. Lo scosse
a più non posso, si mise su una zampa e saltellò.
Piroettò tra le fanciulle, poi scalciò in aria: "Non credevo
di essere un ballerino fatto e finito!" esclamò.

Le fanciulle ebbero orrore
di danzare con un porcello,
e un porcello con gli stivali rossi
per giunta! Si misero a urlare
e corsero a nascondersi.

Giunse a cavallo una sposa riccamente vestita.
Cinta non aveva mai visto tanto splendore.
Pensò bene di salutarla, e con un colossale
"Snooooooooooooooooort!"
I cavalli della sposa, imbizzarriti,
caddero l'uno sull'altro come birilli.
La sposa finì per terra sdruccioloni.
La sua bella corona di gioielli
cadde per la strada ruzzoloni.
Le nozze furono subito rinviate.

"Che orrendo
porcello!"
esclamarono
due damigelle.

"Questa cosa deve
finire!" borbottarono
gli uomini al tavolo
delle carte.

Cinta fece un capitombolo
sulla corona, si rialzò sollevando
una piccola tempesta di polvere
e scappò. I bottegai si misero a
strepitare. Un contabile furibondo
lo prese a male, malissime parole.
Due gentiluomini
si guardarono. "Andiamo
a cercare il padrone
di quel porcello"
decisero.

In cima a un palazzo, un muratore si sporse per vedere
il putiferio che c'era là sotto. I mattoni precipitarono
e mancarono di poco il porcellino.

Cinta grugnì: "Che brivido!" Alzò il capo
e guardò. Vide una bella veranda.
"Un posto perfetto per fare
un riposino" stabilì, e cominciò
ad arrampicarsi sul tetto.
Era quasi arrivato alla veranda
quando dalla strada il suo
padrone tuonò: "Disastro di un
porcello! Hai combinato
un orribile macello. Vedrai:
ci porteranno dal giudice,
ti sbatteranno in prigione
e io al mercato non avrò un soldo bucato!"

Cinta saltò giù e atterrò con un tonfo. Improvvisamente
si sentì preoccupato. Restò lì mogio mogio con i suoi
stivalini rossi, tutto tremante. Il suo padrone
glieli strappò dalle zampe.

Cinta e il suo padrone furono portati di fronte
alle Virtù che guidavano la città.

Cinta si mise in ginocchio
di fronte a IVSTITIA, che
distingue quel che è giusto
da quel che è sbagliato.
"Soppeseremo la faccenda"
disse la Giustizia.

Cinta si fece piccino piccino
e cercò di sembrare il più avvilito che poté.
"Convocherò il consiglio" proclamò il vecchio
con la barba bianca che rappresentava LA CITTÀ.

Il consiglio delle Virtù si riunì.

PACE, detta PAX, si accomodò sulla poltrona,
schiacciando la corazza della guerra.
"Non c'è pace!" si lagnò.

"Useremo la forza!" proclamò FORTITVDO, la coraggiosa.
"Chi, noi?" dissero perplessi i suoi soldati.

MAGNANIMITAS, la generosa, fece tintinnare
le monete che aveva in grembo.
"Diamogli una buonuscita" propose.

TEMPERANTIA, sempre moderata, sospirò:
"Cerchiamo di non essere precipitose."
Terrorizzato, Cinta tremò.

Le Virtù giunsero a una decisione.

FORTITVDO alzò lo scudo.
"Il porcello possiede
ardimento e coraggio.
Onore al porcello."

MAGNANIMITAS allungò
una manciata di monete
al padrone di Cinta, che
intascò subito il gruzzolo.

PAX si sistemò il cuscino
come si deve. "Offrirò
un ramoscello d'ulivo
al porcello in cambio di un po'
di pace e di tranquillità."

TEMPERANTIA abbassò
lo sguardo su Cinta. "Poiché
tanto amore porta il porcello
alla nostra città, le sue
birbonate saranno perdonate.
Ma dovrà andarsene
prima di combinarne ancora."

IVSTITIA concluse:
"La sentenza mi par giusta."

"Che tosto se ne vada
e non torni mai più!"
tuonò LA CITTÀ.

Il padrone, disgustato, riportò Cinta
alle porte della città.

Cinta trotterellava a buona distanza,
all'estremità della lunga catena.
"Ho passato una così bella giornata…"
sospirò.

Si era fatto ormai scuro. Cinta riusciva a malapena
a scorgere le fattorie, i grappoli d'uva nelle vigne, il profilo
alto e nero dei pini, il castello in cima alla collina.
Il padrone cacciò Cinta nel porcile e chiuse il catenaccio
con più mandate del solito. Ma Cinta non aveva la minima
intenzione di tornarsene di corsa in città. Aveva stabilito
che a volte i ricordi sono quello che conta di più.

Al mattino successivo la giornata cominciò decisamente
bene per Cinta. Considerate le circostanze, naturalmente.
Il suo padrone gli buttò un cesto con dieci pomodori marci,
due cavoli ammuffiti e quattro pesche bacate, quattro
di numero. Cinta trangugiò tutto senza farselo dire
due volte. Il padrone voltò il capo per un attimo.
Cinta se ne accorse e mangiò il cesto.
Poi si accucciò sul suo ramoscello d'ulivo.
"Ce la farò a ricordarmi di tutto quello che è successo ieri?"
si domandò. Chiuse gli occhi, frugò nella memoria
e pian piano tutto ricomparve come in un affresco:

il castello di mattoni rossi,
i contadini, e poi il mulo,
le colline e il mulino,
il ponte, le mura
e le porte della città,
il taglialegna, le uova,
i ciabattini, il cacio,
il tamburello, le danze,
la sposa sul cavallo bianco,
le carte, il contabile,
i muratori, la veranda
e perfino
la gabbia e l'uccellino...

"E ci saranno per sempre"
grugnì Cinta.
"Ne sono sicuro."

▶ APRI QUI

VOLGIETE GLIOCCHI AMMIRAR COSTEI VOCHE REGGIETE CHE QVI F

AMBROSIVS · LAVRENTI

·I·7 HGLINIOVI ·DIR·DEBITE·PENE·

PHILOSOPHIA·

I GVARDE OIFEDE CHI LEI ONORA 7 LOR INTRIGA 7 PASCIE OA LA SVO LVCIE NASCIE EL MERITAR COLOR COPERA BEI

ASTROLOGIA

DESENIS · HIC PINXIT · VTRINOVE

SECVRITAS

SENCA PAVRA OGNI VOM FRANCO CAMINI
E LAVORANDO SEMINI CIASCVNO
MENTRE CHE TAL COMVNO
MANTERRA QVESTA DONA I SIGI
CHEL ALEVATA AREI OGNI BALI

DELA CITTA DVE SERVATA QVESTA VITV REPIV DALTRA DISPREGE EL